Titre original : *Animal Rescue, Dilly*
First published in Great Britain in 2008
Text copyright © Jenny Oldfield, 2008
The right of Jenny Oldfield to be identified as the author
of this work has been asserted by her in accordance
with the Copyright, Designs and Patents Act, 1998.

Stripes Publishing, an imprint of Magi Publications
1 The Coda Center, 189 Munster Road, London SWG 6AW

Cet ouvrage a été réalisé par les Éditions Milan
avec la collaboration de Sylvie Canaguier et Astrid Dumontet.
Création graphique et mise en page : Graphicat

Pour l'édition française :
© 2009, Editions Milan pour le texte et l'illustration
300, rue Léon-Joulin, 31101 Toulouse Cedex 9, France
Loi 49-956 du 16 juillet 1949
sur les publications destinées à la jeunesse.
ISBN : 978-2-7459-3593-9
Dépôt légal : 3ᵉ trimestre 2009
www.editionsmilan.com
Imprimé en Espagne par Novoprint

Tina Nolan

ANIMAUX en détresse

Léon, le caneton égaré

Traduit de l'anglais par Virginie Cantin
Illustrations de Lucie Rioland

MILAN
jeunesse

Chapitre 1

– « **T**ous à l'action pour aider les animaux ! »... C'est un super-slogan pour
la Clinique, approuva Marc Hébert. C'est très
positif.

– Merci, répondit Éric, en regardant sa pizza
avec envie.

La famille Hébert au grand complet – Marc,
Hélène, Éric et Éva – ainsi que Joël, l'assistant
vétérinaire de la Clinique, s'étaient réunis dans
le meilleur restaurant italien de la ville.

– Je te rappelle que je t'ai bien aidé à le
trouver, Éric ! protesta Éva.

Le nouveau slogan du centre de secours avait fait des miracles, et cela en partie grâce aux efforts qu'Éva et son frère avaient accomplis, ensemble, sur le site Internet de la Clinique.

Mais c'était un autre événement que célébraient les Hébert, ce soir-là.

– Il est temps de penser à l'avenir, leur rappela Hélène.

– Absolument, approuva son mari. La mairie n'a finalement pas donné suite à la pétition de Linda pour faire fermer la Clinique.

– Ça s'arrose ! lança Joël en levant son verre.

– Ces derniers temps, nous avons bien travaillé, reprit Hélène. Depuis début mai, grâce à nous, sur les vingt chiens que nous avons recueillis, dix-huit ont trouvé de nouveaux maîtres, ainsi que douze des quinze chats et tous les hamsters. Sans compter les autres petits animaux qui nous ont été confiés : lapins, furets, et souris !

– Les affaires marchent très bien, acquiesça Marc, et notre nouvelle campagne publicitaire est vraiment efficace.

– Alors, bon appétit à tous ! lança Hélène en trinquant à son tour.

Éva et Éric ne se le firent pas dire deux fois, et commencèrent à dévorer leur pizza en silence.

– Quel calme ! plaisanta Marc. J'ai remarqué que, devant une assiette bien garnie, vous étiez très silencieux, tous les deux !

Une bonne pizza à la fois moelleuse et croustillante, avec de la sauce tomate, du pepperoni et du fromage fondu par-dessus – mmmhhhh… Éva savourait sans dire un mot.

– Je profite de cette occasion pour vous remercier des efforts que vous avez fournis pour aider la Clinique des animaux, reprit Hélène. Attendre la décision de la mairie a été très difficile, mais vous avez tout fait pour nous empêcher d'avoir à fermer nos portes.

Joël, Éva et Éric acquiescèrent en souriant.

– Ça a surtout duré longtemps ! lâcha Éric, entre deux bouchées.

– Nous avons gagné, et rien ne pourra nous arrêter, désormais ! dit Éva. Quoi que dise

Linda Bordes, nous sauvons des animaux et nous leur trouvons toujours le maître idéal, pas vrai, Papa?

– Et comment! dit Marc en tapant dans la main de sa fille, puis dans celle de son fils.

Puis il lança à Hélène et Joël un regard qui semblait dire «Ne gâchez pas ce moment et laissez-les en profiter!» Les deux adultes lui répondirent d'un signe de tête avant de plonger le nez dans leur verre, et Hélène demanda la carte des desserts.

– Un fondant au caramel avec de la glace, dit Éva.

– S'il vous plaît…, la corrigea Marc.

– S'il vous plaît, ajouta Éva.

Éric étudia soigneusement la carte.

– Et pour moi, des profiteroles au chocolat.

– S'il…, commença Marc.

– S'il vous plaît! compléta Éric.

Le serveur sourit et disparut.

– On dirait que vous avez quelque chose à fêter, dit-il en revenant avec les desserts.

Tout le monde hocha la tête d'un air ravi, tandis qu'Éva savourait déjà son gâteau.

– Mmh… il est bien fondant, et plein de caramel! apprécia-t-elle.

Puis elle annonça, entre deux bouchées :

– J'ai une super-idée pour le site Web. Il faudrait faire une journée spéciale parasites, et expliquer aux gens comment débarrasser leurs animaux des puces et des tiques!

– Je t'en prie, nous sommes à table! gronda Joël.

– C'est génial, approuva Éric. Tu savais qu'une simple puce pouvait pondre jusqu'à vingt-sept œufs par jour? Il y a un tas de choses à dire sur le sujet, j'en suis sûr.

– Beurk, ça me démange rien que d'y penser! reprit Joël.

Mais il savait qu'il n'obtiendrait pas gain de cause, car toute la famille adorait les animaux – tous les animaux. Alors il se contenta de déguster sa glace à la fraise en silence.

Hélène acquiesça.

– Vous deux pourrez rechercher les informations et me montrer le résultat avant de les mettre en ligne.

– Génial ! répondirent en chœur Éric et Éva. Nous commençons demain !

Chapitre 2

L e lendemain, un samedi, Éva se leva tôt.

– Viens, Cléo, on part en promenade, dit-elle à la jeune épagneule qui sautillait d'impatience.

Dans le chenil, d'autres chiots et chiens jappaient en remuant la queue.

– Tout à l'heure, Mogul, et toi aussi, Palto, ajouta-t-elle en souriant au petit jack russel et au vieux golden labrador. Je vous emmènerai tous les deux quand je reviendrai de la rivière avec Cléo.

Elle ouvrit le verrou du box de la chienne qui fila dans l'allée centrale, et bondit sur la porte du jardin.

– Pas si vite ! dit Éva en secouant la tête. Ne sois pas si pressée !

Elle devait encore l'attacher pour éviter qu'elle ne s'élance sur la route. Cléo sauta en l'air en agitant sa courte queue, tandis que ses longues oreilles flottaient au vent.

– Au pied ! Très bien, tu es une bonne fille, dit-elle en fixant d'un geste vif la laisse au collier de Cléo. Maintenant, on peut y aller.

Elle ferma le chenil et partit en direction de la rivière. Dans la cour et sur la rue principale, elle tint la laisse serrée. Elle tourna très vite à gauche, sur un sentier touffu qui menait à travers champs jusqu'à la rivière. Une fois passée la côte, elle libéra Cléo, qui ne risquait plus rien.

– Comme tu cours vite ! murmura-t-elle en la regardant filer à toute allure dans les hautes herbes.

Soudain, elle vit un lapereau surgir d'un fourré, la chienne sur les talons.

– Cléo, au pied ! cria-t-elle.

La chienne obéit et baissa les oreilles, la queue entre les jambes.

– C'est bien, la félicita Éva. Je t'interdis de chasser les petits lapins, d'accord ?

Elles marchèrent un moment dans le soleil matinal. Des merles sifflaient dans les buissons d'aubépine, et l'on entendait roucouler les pigeons dans les bois tout proches. Bientôt, Éva perçut le bruit de l'eau et s'approcha de la rive, à l'endroit où la rivière formait un large coude. Le vieux pont de pierre qui la traversait donnait sur la vaste étendue verte du terrain de golf.

– Allez, Cléo, tu peux aller jouer maintenant, lança Éva, en désignant une petite plage de galets qui bordait l'eau claire et fraîche.

Avec un jappement de joie, Cléo courut vers la rivière, la truffe au ras du sol, suivant chaque senteur de ce matin d'été. Elle renifla ici et là les terriers des lapins, les taupinières et les mottes de terre, puis saisit un bâton, l'apporta à Éva et recula en attendant qu'elle le lance.

– Attrape ! cria la fillette, en le jetant le plus loin possible.

La petite épagneule plongea et pataugea en direction du bâton qui flottait à la surface, puis elle le prit dans sa gueule et le déposa sur la berge.

– Super! s'exclama Éva.

Elle se pencha pour le ramasser, puis le jeta une nouvelle fois, tandis que Cléo s'ébrouait, projetant de fines gouttelettes glacées sur sa peau. Elle regarda la chienne retourner dans la rivière, la tête dépassant à peine de l'eau.

Cléo se trouvait à trois ou quatre mètres du but quand, soudain, Éva aperçut des canetons.

– Oh! comme ils sont mignons! s'écria-t-elle en regardant ces minuscules boules de plumes jaunes nager bien en rang, la tête levée, et battre des pattes pour remonter le courant.

Mais où étaient donc leurs parents? se demanda-t-elle.

« Ouaf! Ouaf! » Cléo venait de voir les canetons et fonçait droit sur eux.

– Reviens ici! ordonna Éva.

Cette fois-ci, la chienne ne l'écouta pas et continua à pourchasser les canetons. Ceux-ci nageaient à contre-courant, terrorisés par la grosse tête et les dents pointues de la créature qui s'approchait de plus en plus, mais trop petits pour prendre de l'avance.

« Couac ! Couac ! » criaient-ils.

– Cléo, au pied ! ordonna Éva, furieuse.

À cet instant, les parents des canetons s'éloignèrent de la rive opposée pour traverser rapidement la rivière, tendant le cou et caquetant en direction de Cléo.

– Méchante chienne ! lança Éva.

L'épagneule se retourna. Les canards se dirigeaient droit vers elle, battant des ailes, dressés sur l'eau comme des surfeurs menaçants.

Bien fait pour elle ! songea la fillette, en admirant la tête d'un beau vert moiré du mâle, avec son bec jaune vif, et les taches dorées de la femelle. *Effrayez-la un peu, vous avez bien raison !*

« Couac ! Couac ! » faisaient les canetons qui, pris de panique, s'éparpillaient dans tous les sens.

La cane les rappela. Trois d'entre eux se retournèrent pour la rejoindre, mais le quatrième, le plus chétif – une boule de plumes jaunes qui flottait au beau milieu de la rivière – resta sourd à l'appel de sa mère.

Pendant ce temps, le mâle attaqua Cléo. Il s'envola dans un cri strident, effleurant la surface de l'eau, et piqua la chienne de son bec.

Soudain, Cléo prit peur. Tournant le dos au caneton isolé et à son père en colère, elle se mit à nager vers la rive.

– C'est bien, viens ici ! cria Éva.

Le canard la suivit en poussant des cris furieux puis, voyant que Cléo avait battu en retraite, il rejoignit son rejeton désobéissant et le poussa vers ses frères et soeurs.

« Coin ! », gémit doucement le caneton.

« Couac ! », gronda son père.

« Ouf ! », soupira Éva, soulagée de voir la famille de nouveau réunie. *Pourvu que le petit ne soit pas puni...*, espéra-t-elle. Il était sans doute un peu étourdi, mais il avait complètement paniqué en voyant apparaître la méchante Cléo !

Le calme revint d'un coup sur la rivière. La chienne avait regagné la terre ferme, et s'ébrouait en éclaboussant Éva.

– Méchante chienne ! répéta celle-ci.

Cléo baissa la tête et glissa la queue entre ses jambes.

Les quatre canetons et leurs parents regagnaient la berge opposée. Tout était rentré dans l'ordre.

« C'est un petit caneton, distrait et très mignon ! Oui vraiment très mignon », chantonna Éva sur le chemin du retour. *Léon...*

Tiens, ça lui va bien, ce nom! Si je le baptisais Léon?

Après avoir grimpé la côte, elle descendit d'un pas rapide vers le sentier, impatiente de raconter les aventures de Cléo et de Léon le caneton!

Chapitre 3

– Oh, non ! gémit Éric, tu lui as déjà donné un nom ! Léon… et tu l'adores, c'est ça ?

– Mais pas du tout ! protesta Éva.

Elle était à l'accueil, en train de raconter à sa mère ce qu'il venait de se passer, quand son frère les avait interrompues.

– Bien sûr que si !

– Je te dis que non !

– Arrêtez, tous les deux, gronda Hélène en décrochant le téléphone. Oui, Cathy, je t'écoute… Oui, nous avons une écurie et nous pouvons accueillir Lorette quand tu voudras. Oui, tout de suite… Salut !

– J'ai juste dit que Léon était mignon ! reprit Éva. C'est le plus petit de toute la couvée, et même s'il s'était éloigné de ses frères et sœurs, son papa ne l'a pas laissé tomber…

– Comment sais-tu que c'est un mâle, d'abord ? demanda Éric.

Pendant que sa sœur promenait Cléo, il avait fait des recherches sur les puces et rédigé un texte pour leur site Internet. Il avait appris qu'elles se nourrissaient de sang et pondaient des œufs dans les poils des animaux, qui les déposaient ensuite sur les tapis, les lits ou les fauteuils.

– Tu savais que les puces préféraient les climats tempérés ? ajouta-t-il.

– Non, mais je suis ravie de l'apprendre, se moqua Éva.

Puisque son frère ne s'intéressait pas à ses canetons, elle n'avait rien à faire de ses histoires de puces !

– Maman, combien y a-t-il de petits, en général, dans une couvée ?

Hélène, qui était en train de noter des chiffres dans un carnet, répondit d'un air distrait :

– Six ou sept, peut-être. Mais tous ne survivent pas.

– Comme c'est triste! Et qu'est-ce qui leur arrive, alors?

– Ils sont mangés par des renards, ou restent séparés de leurs frères et sœurs jusqu'à ce qu'ils soient assez grands pour se nourrir et se débrouiller tout seuls. Le vaste monde est plein de dangers pour les petits canards...

Éva frémit.

– Heureusement, Léon a pu rejoindre sa famille avant que Cléo ne le dévore!

Sa mère acquiesça.

– Léon, le joli caneton! ricana Éric en se tournant de nouveau vers son ordinateur.

– Éva, emmène Cléo au chenil et sèche-la bien avec une serviette, reprit Hélène. Ensuite, tu pourras revenir m'aider, si tu veux.

Elle ferma son carnet et mit sa blouse bleu pâle.

– On va avoir du travail...

– J'avais l'intention d'emmener Mogul et Palto en promenade, dit Éva.

– Oh oui ! tous les prétextes sont bons pour revoir le mignon petit Léon ! lança Éric, les yeux rivés sur l'écran.

– Pourquoi pas ? répondit Hélène en haussant les épaules. Mais je croyais que tu aurais envie de m'aider à accueillir Lorette.

– Qui est Lorette ? demanda Éva.

– C'est une ponette shetland de douze ans qui cherche de nouveaux maîtres. Cathy Lebrun, du foyer équin, l'a trouvée dans un campement déserté, tout près de la ville. D'après ce qu'elle m'a raconté, la pauvre bête a failli mourir de faim.

– Et elle va mieux, maintenant ? s'inquiéta Éva, oubliant soudain les chiens, les puces et même les canetons.

– Cathy l'a nourrie et soignée mais, maintenant, elle nous demande de l'héberger, et j'ai accepté.

– Génial ! s'écria Éva. Dans quel box allons-nous l'installer ? Tu veux que je lui prépare une litière fraîche ? Est-ce que les shetlands ont une nourriture spéciale ? Quelle est la couleur de sa robe ?

– Eh, doucement ! répondit Hélène en riant. Prépare-lui le dernier box, à côté de l'âne Mickey, si tu veux. Et demande à Annie de t'aider.

Par la fenêtre, Hélène avait aperçu Annie Bordes traverser la cour à grands pas. Soudain, la fillette surgit dans la pièce.

– Salut, Hélène ! Salut Éric ! lança-t-elle. Éva, tu veux monter Vanille avec moi ?

– Désolée, je n'ai pas le temps, répondit Éva. Nous attendons une nouvelle ponette…

Elle s'engagea dans le couloir pour aller sécher Cléo et la ramener au chenil. Quand elle revint, Annie, penchée vers Éric, lisait sa dernière page Web.

– Beurk ! fit-elle. Les puces sont attirées par la chaleur corporelle et les mouvements des animaux, et elles peuvent transmettre des maladies de peau !

– Arrête avec tes histoires de puces, Éric ! protesta Éva. Annie, tu veux bien m'aider à mettre un peu d'ordre dans l'écurie ?

– Bien sûr! répondit Annie, en passant devant son amie. Le poney que tu attends, de quelle race est-il? Il s'appelle comment? Et il arrive quand?

– C'est une femelle shetland. Elle s'appelle Lorette, et elle arrive maintenant! répondit Éva.

– Super! s'enthousiasma Annie.

Bientôt, les deux amies, après avoir tranché le lien d'une balle de foin, commencèrent à l'étaler sur le sol. Dans le box voisin, l'âne Mickey piaffait. C'est Éric qui l'avait surnommé ainsi, quand il était arrivé à la Clinique.

– Sa robe est grise comme celle d'une souris, et il a de grandes oreilles. Et puis, ce nom lui va très bien! avait-il déclaré.

– Tu trouves? avait répliqué Éva.

– Oui, avait simplement dit Éric.

– Ça va, Mickey, calme-toi, dit Éva. Tu vas avoir un nouveau voisin et tu l'aimeras beaucoup, je te le promets!

Enjambant un filet de séparation, la fillette vérifia l'eau et la lumière du box. Tout était parfait.

Quand la litière fut terminée, Annie, impatiente de monter la douce jument grise de sa mère, demanda :

– Quand est-ce qu'on pourra sortir Vanille ?

– Dès que Lorette sera installée, répondit Éva. J'emmènerai Palto et Mogul et on pourra prendre le sentier qui mène à la rivière. Avec un peu de chance, nous verrons Léon.

Annie s'appuya contre la porte de l'écurie.

– Léon comment ?

– Léon le caneton ! Il est trop mignon ! lança Éva, avant de disparaître une nouvelle fois.

En attendant Lorette, Éva et Annie étaient allées aider Joël au cabinet.

– Qu'est-ce qu'on peut faire pour toi ? avait demandé Éva à l'assistant de sa mère.

– Plein de choses ! Pour commencer, désinfecter les tables d'examen, avait suggéré Joël.

Puis il avait examiné un lapin et demandé à Éva de fournir à son frère des informations sur l'animal pour le site Internet de la Clinique.

« Hugo est un gentil lapin brun châtré. Il est propre et aime bien les câlins », dicta Éva.

Éric tapait vite, tandis qu'Annie photographiait le nouvel arrivant. Ensuite, ce fut le tour d'un chat de gouttière trouvé près du pavillon de cricket et apporté par le capitaine de l'équipe, puis d'un hamster abandonné par ses propriétaires. Ils ne virent pas passer la matinée.

Il était presque midi quand Cathy gara son van dans la cour de la Clinique des animaux. Éric s'écria :

– Les voici !

– Enfin ! soupirèrent Éva et Annie avant de se précipiter dans la cour.

– Désolée de vous avoir fait attendre, dit Cathy en descendant de son véhicule, mais l'un de mes poneys a eu la colique et j'ai dû appeler le vétérinaire.

Éva sautillait d'impatience.

– On peut voir Lorette ? demanda-t-elle.

– Reculez, d'abord je vais ouvrir le hayon et installer la rampe, répondit Cathy en souriant.

Entre-temps, Hélène, Joël et Éric étaient sortis du cabinet et Marc de la maison ; tout le petit groupe attendait de faire connaissance avec la nouvelle pensionnaire.

Quand Cathy tira la ponette hors du van, ils poussèrent des exclamations de surprise.

– Oh ! comme elle est petite !

– Minuscule…

– Adorable !

La robe de la ponette shetland était couleur chocolat, et une liste blanche ornait son chanfrein. Son épaisse crinière brune tombait en broussaille sur ses yeux et son encolure, et elle avait des jambes courtes et trapues.

– Quel joli petit ventre rebondi ! remarqua Hélène en souriant. Elle n'est plus affamée, ça se voit !

– Regardez ces minuscules sabots ! s'écria Annie.

– Quelle jolie tête elle a ! soupira Éva.

Même Éric ne parvenait pas à cacher son enthousiasme.

– Ouais, elle est cool, acquiesça-t-il. Elle est à peu près de la taille de Dany, non ?

– Non, elle est beaucoup plus petite ! reprit Annie. C'est une ponette miniature !

– Éva, veux-tu la conduire à l'écurie ? demanda Cathy en lui tendant la corde.

Doucement, Éva mena Lorette jusqu'à son nouveau domicile, suivie par tout le petit groupe.

Curieux, Mickey passa sa grosse tête osseuse par-dessus la porte de son box, baissa les yeux vers Lorette et poussa un « hi han » tonitruant en guise de salut.

Lorette ne lui accorda pas un regard. Elle avait senti l'odeur du foin dans la mangeoire et de la paille fraîche et bien propre de sa litière.

– Pour un animal qui a été maltraité, je la trouve calme et très à l'aise, remarqua Cathy. Et elle sera sans doute parfaite avec les enfants… Vous devriez le préciser dans votre annonce.

« Hi han ! » lança Mickey, tandis que Lorette avait le nez plongé dans la nourriture.

– Nous allons la mettre sur le site immédiatement, dit Hélène à Cathy. Et nous te préviendrons dès que nous lui aurons trouvé un bon maître.

Crunch, crunch... Lorette faisait rouler le foin dans sa bouche et le mastiquait consciencieusement.

De nouveau, Mickey poussa un cri puissant.

– Quel vacarme ! Je m'en vais, moi ! lança Marc en se bouchant les oreilles.

– Moi aussi, renchérit Joël.

L'écurie se vida peu à peu, et seules Éva et Annie, encore sous le charme, restèrent pour admirer Lorette.

Au bout d'un moment, Annie rompit le silence.

– On va monter Vanille, maintenant ?

– Si nous arrivons à sortir d'ici, répondit Éva, songeuse.

Déjà, elle adorait les yeux noirs de Lorette, qui l'observait par-dessous sa frange en bataille.

– Vanille a besoin d'exercice, insista Annie.

– Et moi, il faut que j'aille promener Palto et Mogul, soupira Éva.

Si seulement ses parents acceptaient qu'elle garde Lorette ! songea-t-elle. Hélas, c'était impossible…

À son tour, Annie soupira.

– Alors, viens…

– Oui, allons-y.

Les deux amies laissèrent échapper un nouveau soupir et restèrent encore quelques instants immobiles.

Chapitre 4

– **T**out doux, Vanille…

Annie retint son cheval pour laisser Éva ouvrir le portail. Les deux chiens, Mogul et Palto, détalèrent.

Il était midi et demi et les deux fillettes avaient enfin réussi à quitter l'adorable Lorette.

– On déjeune à 13 h 30, alors tâche d'être à l'heure ! avait lancé Linda Bordes par-dessus la haie en entendant Annie partir en direction de la rivière avec Vanille.

Les deux amies disposaient d'une heure pour promener les chiens, entraîner Vanille et aller voir les canetons.

– Vas-y, fais-la galoper autour du champ, dit Éva à Annie en refermant derrière elles. Je vous rejoins.

Elle prit un raccourci avec les chiens et arriva avant son amie, pour lui ouvrir la clôture et la laisser passer.

– C'est ton tour, maintenant, dit Annie en mettant pied à terre et en tendant sa bombe à Éva.

Prestement, la fillette glissa son pied dans l'étrier et bondit en selle. Puis elle fit claquer sa langue et guida la jument grise sur le sentier qui menait à la rivière.

– Les canetons sont un peu plus loin, après le coude de la rivière, expliqua-t-elle à Annie, qui appelait les chiens pour les attacher.

Ouvrant la voie, Éva surveillait les environs.

– Fais attention aux golfeurs ! cria-t-elle par-dessus son épaule.

Sur l'autre rive, un joueur frappa une balle qui s'envola loin dans les airs. Éva la vit rebondit doucement sur le green.

Mogul et Palto fixaient la balle en aboyant.

– Désolée, dit Annie, mais je dois vous garder en laisse.

– C'est par ici que j'ai vu les canetons, expliqua Éva à son amie. Mais ils ne sont plus là… Oh, si ! là-bas !

C'est alors qu'une famille de canetons apparut dans une courbe de la rivière. Ils barbotaient dans le courant, tandis que leurs parents les surveillaient de loin.

– Un, deux, trois, quatre… cinq ! compta Éva.

Puis, observant de plus près les animaux, elle dit :

– Ce n'est pas la même famille. Oui, les bébés sont plus gros, donc plus vieux que ceux que j'ai vus ce matin. Et ils ont davantage de taches marrons.

Annie regarda les canetons plonger et patauger tout en tenant fermement les chiens en laisse.

– Ils sont tout de même très mignons, dit-elle en souriant. Regarde celui-ci, qui essaie de rattraper sa mère ! Il bouge ses petites pattes dans tous les sens !

– Mais où est donc Léon ? demanda Éva. Si tu le voyais, tu craquerais complètement !

Tout en guidant lentement Vanille sur la berge, la fillette cherchait des yeux sa famille préférée.

C'est alors qu'elle vit un petit passereau noir et blanc effleurer la surface de l'eau, avant de s'envoler vers le terrain de golf.

– Éva, regarde ! s'écria Annie, en pointant du doigt la rive opposée. Est-ce que ce sont eux ?

Elle ne se trompait pas – quatre petits canetons jaunes suivaient leur mère aux plumes lisses et brillantes, et grimpaient la berge pentue de la rivière menant au gazon moelleux du terrain de golf. La mère s'appliquait à bien poser ses pieds plats et palmés sur le sol. De temps en temps, ses petits s'arrêtaient, puis se dépêchaient de la rejoindre, baissant parfois la tête pour arracher une touffe d'herbe.

– Oui ! Regarde, Léon est là ! Et il est à la traîne ! s'écria Éva en sautant de sa selle et en laissant Vanille brouter un peu d'herbe. Aïe, il a du mal à monter la côte… Vas-y, Léon, tu peux y arriver !

– Ils vont l'abandonner ! s'inquiéta Annie, en encourageant le caneton à continuer de grimper. Hé, attendez-le ! cria-t-elle aux autres.

Léon tentait désespérément de rattraper ses frères et sœurs.

– Pourquoi est-ce qu'ils se dirigent vers le terrain de golf, au lieu de rester près de la rive ? s'interrogea Annie.

Éva haussa les épaules.

– Je n'en sais rien, et je ne crois pas que les joueurs les aient repérés. S'ils ne font pas attention, une de leurs balles pourrait atterrir droit sur eux !

La cane poursuivait son chemin à travers le green, les plus grands de ses canetons sur les talons – trois au total. Non, quatre ! Léon avait fini par atteindre le terrain de golf.

Soudain, le premier golfeur frappa une balle, qui atterrit à une dizaine de mètres de la famille de canards. Poussant un cri, leur mère se retourna pour abriter ses petits sous son aile.

– Il faut prévenir les golfeurs ! décida Éva, qui cria en agitant les mains : Excusez-moi…

Vous pouvez attendre un peu avant d'envoyer votre prochaine balle ?

Les trois hommes se tournèrent dans sa direction et froncèrent les sourcils en découvrant les fillettes accompagnées d'un cheval et de deux chiens.

– Qu'est-ce que tu dis ? répondit l'un d'entre eux.

– Pouvez-vous attendre que les canards aient traversé le green ? répéta Éva.

Soudain, elle réalisa qu'elle avait oublié quelque chose et ajouta :

– S'il vous plaît…

– Des canards ? reprit l'homme. Où ça ?

– Là ! lança Éva en désignant la cane et sa couvée. Vos balles les effraient !

L'homme se tourna vers ses compagnons qui secouèrent la tête, les mains sur les hanches.

– Ils n'ont pas l'air content, murmura Annie.

Léon non plus, songea Éva, en regardant son protégé se blottir contre ses frères et sœurs.

Battant des ailes, la mère commença à pousser ses petits en direction de la rivière.

— Tu as raison, chuchota Annie. Mieux vaut s'écarter de leur chemin…

— Attendez, je suis sûre qu'il n'y en a pas pour longtemps, cria Éva aux joueurs.

— Quand je pense qu'il faut qu'on interrompe notre partie pour laisser passer ces stupides bestioles! grogna l'un d'entre eux.

Bientôt, la cane atteignit les herbes hautes de la berge.

— C'est bon, maintenant, merci! dit Éva.

— Ouf! soupira Annie. Regarde, voici le père!

À cet instant, un canard prit son envol, agitant puissamment ses ailes, avant de piquer vers le bas et d'atterrir sur l'eau. Il poussa un grand cri pour ordonner à sa famille de le rejoindre, et la mère revint, entourée de ses petits. Comme d'habitude, Léon était le dernier, et luttait contre les tourbillons de la rivière.

— J'espère qu'ils ne vont pas l'abandonner une nouvelle fois, murmura Annie.

— J'ai l'impression que les deux familles ne s'entendent pas très bien, remarqua Éva en voyant les mâles tendre le cou et battre des ailes, tandis que les femelles se mettaient à crier, délaissant leurs petits pour défendre leur territoire.

Annie regarda sa montre.

– Il est bientôt 13 h 30, et je vais être en retard. Allez, viens, Palto, allons-y ! Et toi aussi, Mogul !

D'un pas rapide, elle mena les chiens sur le sentier.

Éva s'attarda un peu, pour s'assurer que Léon avait bien rattrapé ses frères et sœurs, puis reprit avec Vanille le chemin de la Clinique.

– Comment trouves-tu Léon ? demanda-t-elle à Annie, qui marchait devant elle.

– Il est adorable ! acquiesça cette dernière.

Éva sourit en faisant trotter doucement Vanille le long du sentier.

– Tu sais quoi ? décida-t-elle, davantage pour elle-même que pour son amie. Je vais me servir du site Internet de la Clinique des animaux pour parler de Léon et de sa famille. J'expliquerai où ils vivent, ce qu'ils mangent, et à quel rythme ils grandissent…

– Un blog ! approuva Annie. C'est une super-idée !

Éva éperonna légèrement Vanille pour lui faire allonger le pas.

– Oui, je vais tenir son journal intime en ligne !

Chapitre 5

Dimanche 13

Suis sortie deux fois avec Cléo, pour aller à la rivière. Je n'ai pas vu Léon, mais j'ai aperçu l'autre famille de canards. Cinq d'entre eux étaient avec leur mère. Aucun signe de Léon ni de ses frères et sœurs. Snif !

Lundi 14

Comme j'avais école aujourd'hui, je n'ai pas pu aller à la rivière avant l'heure du goûter. Toujours pas de Léon en vue. Pas de chance : juste au moment où je décide de tenir ce blog, il disparaît !

Avec un soupir, Éva ferma son ordinateur portable. Il n'y avait pas que le caneton qui la préoccupait. Plus tôt dans la matinée, elle avait surpris une conversation entre ses parents, où il était question des dettes de la Clinique, et des factures qu'ils ne pouvaient pas payer. Sa mère avait l'air inquiet et son père s'était tu dès qu'il avait vu Éva.

Ce n'était pas juste! Alors que la mairie venait de leur annoncer une bonne nouvelle, les ennuis recommençaient!

Mardi 15

Léon a disparu!
Mademoiselle Hugon est venue chez Annie pour voir Vanille et Merlin.
J'espère que je verrai mon petit caneton demain.

Tard cette nuit-là, blottie au fond de son lit, Éva songeait à ce qu'elle avait écrit sur son blog. Ces derniers jours, il y avait eu beaucoup d'activité à la Clinique des animaux. Bourgeon le chat de gouttière avait été rapidement relogé, et trois personnes étaient déjà venues voir Lorette. Une famille avait même proposé de l'accueillir. Quant à Nicolas Salmon, le menuisier qui était venu aider son père à construire les nouvelles écuries, il avait adopté Mogul, le terrier écossais.

Éva n'avait pas eu le temps d'aller voir Léon ni de tenir son blog.

De toute façon, il n'y a rien à raconter ! songea-t-elle au moment d'aller dormir.

Elle resta un moment éveillée, à penser au petit Léon, et se rappela ce que sa mère lui avait expliqué quelques jours auparavant : « Ils sont mangés par des renards, ou séparés de leurs frères et sœurs… Le vaste monde est plein de dangers pour les petits canards. »

Et si Léon s'était perdu ?

En montant se coucher, Hélène jeta un œil dans la chambre de sa fille.

– Tu ne dors pas ? demanda-t-elle en s'approchant pour s'asseoir au bord de son lit. Quelque chose te tracasse ?

– Ça fait une éternité que je n'ai pas vu Léon, confia Éva. La dernière fois, c'était avec Annie, et des golfeurs ont failli assommer tous les petits avec leurs balles ! Il y a une autre famille de canards sur la rivière, alors les adultes se sont battus et…

– Écoute…, fit doucement Hélène. Comme la plupart des animaux, les canards sont très soucieux de leur territoire. Ils veulent avoir une portion de rivière bien à eux. S'il y avait deux familles du même côté du pont, l'une d'entre elles a probablement été chassée. C'est peut-être celle de Léon.

Éva hocha la tête.

– Alors c'est pour ça que la mère a rassemblé Léon et ses frères et sœurs sur la rive qui borde le terrain de golf ? Elle cherchait un autre endroit où s'installer ?

– Exactement. Voilà pourquoi tu n'as pas vu Léon, ces jours-ci, confirma sa mère.

– Mais… s'ils l'ont laissé derrière eux ? dit Éva, toujours inquiète. Il est si petit qu'il pourrait facilement se perdre ou être séparé des autres…

Hélène secoua la tête.

– Je crois que tu te fais du souci pour rien. Léon est sûrement en sécurité avec sa famille, bien à l'abri au bord de la rivière, et occupé à aménager sa nouvelle maison !

Éva resta un long moment silencieuse, décidée à entamer ses recherches dès le lendemain.

– Maman…? finit-elle par dire.

– Oui ?

– De quoi parlais-tu, hier, avec Papa ? Vous avez des problèmes d'argent ?

– Ne t'inquiète pas pour ça, répondit Hélène en tapotant doucement la main de sa fille.

– C'est à propos de la Clinique ? insista Éva. Nous n'avons plus les moyens de la sauver, c'est ça ?

– Mais non ! dit Hélène en écartant une mèche de cheveux du visage d'Éva. C'est vrai qu'il est toujours difficile de trouver de l'argent. En tant qu'organisme caritatif, nous sommes dépendants des dons et des subventions. Mais toi et ton frère, vous devez nous faire confiance pour gérer ces soucis. C'est le rôle des adultes !

Éva hocha lentement la tête, puis marqua une nouvelle pause avant de reprendre d'une voix ensommeillée :

– Maman…

– Oui ?

– Si nous n'avons plus d'argent, est-ce qu'on sera obligés de fermer la Clinique, même si la mairie nous a autorisés à continuer ?

– Chut…, répondit Hélène. Allez, dors, maintenant, ma chérie…

Mercredi 16

J'ai passé le vieux pont et j'ai longé la rive : toujours pas de Léon ! Même si Maman a tenté de me rassurer, je suis inquiète. Où est-il ? Perdu, tout seul ? Que leur est-il arrivé, à lui et à sa famille ?
Finalement, les gens qui voulaient adopter Lorette ont changé d'avis, car ils vont peut-être déménager bientôt.
Léon, où es-tu donc ?

Le jeudi après-midi, Éva sortit de l'école avec beaucoup de devoirs à faire. Mais elle ne rentra pas en bus, comme d'habitude, car son père était venu les chercher, son frère et elle, avec sa camionnette.

Marc leur avait demandé s'ils avaient passé une bonne journée, et Éric avait expliqué que la mère d'une de ses camarades était d'accord pour adopter Bono le hamster, et qu'elle allait venir le voir à la Clinique, juste après l'école.

Par la fenêtre, Éva regardait en silence les dernières maisons disparaître, pour céder peu à peu la place aux champs.

Devoirs de maths – beurk ! Français : lire les chapitres 6 et 7 du manuel.

Aller promener Palto avant le goûter, puis Cléo. Chercher Léon.

– Hé ! lança Éric, tu as entendu ce que je viens de te dire, ou tu rêves ?

– Euh… qu'est-ce qu'il y a ?

– Le manoir des Frênes, l'ancienne maison de mademoiselle Hugon, a été vendu. Elle a appelé Maman ce matin pour le lui annoncer…

– Et c'est une bonne nouvelle ? demanda Éva, en se rappelant le jour où son frère avait grimpé dans un arbre du jardin de la vieille dame pour aller chercher Tigron, son chat...

Peu de temps après, mademoiselle Hugon avait décidé que l'entretien de la grande demeure lui demandait trop de travail et avait décidé de s'installer dans une maison plus petite, au centre du village. Vanille, sa jument grise, avait alors été accueillie à la Clinique, où elle avait donné naissance à Merlin, un adorable poulain. Plus tard, la sévère Linda Bordes avait craqué pour Vanille et son petit et pardonné à la famille Hébert toutes les nuisances sonores et le surcroît de circulation que la Clinique avait entraînés dans le village.

– Oui, c'est une excellente nouvelle, intervint Marc. Et je suis très heureux pour mademoiselle Hugon. Elle est soulagée que tout soit terminé, et, grâce au prix de la vente, elle sera enfin débarrassée de ses problèmes d'argent !

– Super ! acquiesça Éva d'un air distrait. Puis, comme ils descendaient la rue principale, elle se mit à hurler : Papa, attention ! Freine !

Là, juste devant eux, se trouvaient les dernières créatures qu'elle se serait attendue à rencontrer – deux canards et leurs quatre petits, qui traversaient la route en file indienne !

Jetant un œil dans son rétroviseur, Marc écrasa sa pédale de frein. La camionnette fit une légère embardée puis s'immobilisa.

– Tout le monde va bien ? demanda-t-il.

Éric hocha la tête.

– C'est Léon ! s'écria Éva. Regardez, c'est lui, derrière ! Il ne s'est pas perdu, finalement !

Lentement, les petites boules de plumes jaunes poursuivaient leur chemin.

– Ils l'ont échappé belle…, murmura Éric. Tu veux que j'aille les pousser sur le côté ?

Marc acquiesça.

– Fais attention aux voitures…, prévint-il.

Sans prendre garde à la camionnette, les deux canards adultes continuaient d'avancer.

Éric sauta et se mit à crier pour les faire accélérer.

– Allez, ouste ! Déguerpissez ! fit-il en agitant les bras.

Éva regardait la route avec inquiétude. Heureusement, il n'y avait pas de voiture – seulement Adrien Stévenin, le copain d'Éric, qui approchait à vélo. Il s'arrêta pour qu'Éric fasse traverser les canards.

– Qu'est-ce qu'ils font ici ? demanda Éva, qui n'en croyait pas ses yeux.

– Aucune idée, répondit Marc.

Il attendit que son fils ait terminé pour expliquer à Adrien ce qui se passait.

– Nous avons failli les écraser ! raconta Éric. Ces animaux sont vraiment stupides !

– C'est pas vrai ! protesta Éva. Ce n'est pas leur faute !

– Non, car ils ne se rendent pas compte, souligna Marc. Mais il faut reconnaître qu'une route fréquentée est un endroit dangereux pour une promenade ! J'espère qu'ils ne recommenceront plus.

Éva fronça les sourcils mais garda le silence quand Éric regagna la camionnette pour parcourir les quelques dizaines de mètres qui les séparaient de chez eux. Elle réfléchissait à toute vitesse – pas à ses exercices de maths, ni aux tâches qui l'attendaient à la Clinique. Non, elle pensait à Léon et à ce qu'elle pouvait faire pour que lui et sa famille puissent traverser la route en toute sécurité.

Chapitre 6

Jeudi 17

Nous avons évité de justesse la catastrophe ! Nous avons failli écraser Léon et sa famille au moment où ils traversaient la route principale ! Ils ne vivent plus sur la berge de la rivière, mais sur l'étang, derrière chez mademoiselle Hugon. Voici comment je l'ai découvert :

Papa est venu nous chercher en camionnette à l'école et, sur le chemin du retour, nous avons aperçu les canards. Léon était à la traîne, comme d'habitude. Papa a freiné à temps. Dès que nous sommes rentrés, je suis retournée sur les lieux de l'incident. J'ai demandé à mademoiselle Hugon si elle les avait aperçus sur la route parce qu'elle était assise dans son jardin avec Tigron à ce moment-là. Elle m'a dit qu'elle avait vu la famille de canards prendre le virage, avant de traverser son jardin, puis le champ derrière chez elle !

Alors j'ai escaladé la clôture de mademoiselle Hugon et j'ai marché jusqu'à l'étang. Il appartient à monsieur et madame Girard. Ils possèdent une grande maison avec un court de tennis, un parc et tout... Ça s'appelle Bellevue.

Léon a déménagé. Madame Girard m'a dit que je pourrais venir le voir quand je le voudrais. Ouf !

Éric et moi avons décidé de mettre un panneau sur la route, au cas où les canards repasseraient par là. Il porte l'indication « Ralentir – Traversée de canards » en grandes lettres rouges !

Nous l'avons fixé sur un poteau que nous avons planté sur le bas-côté. J'espère qu'il sera utile.

Je n'ai pas eu le temps de faire mes exercices de français. J'espère que Maman accccepterea de m'écrire un mot d'excuse pour mademoiselle Fauvel. Je croise les doigts.

Léon est sain et sauf et il n'est pas perdu. C'est génial, non ?

– Tu sais, Lorette, je me suis fait gronder par mademoiselle Fauvel aujourd'hui, raconta Éva à la ponette shetland.

C'était vendredi soir, et l'âne Mickey mâchait bruyamment sa paille, dans l'écurie voisine.

– Maman a refusé de me faire manquer l'école, poursuivit la fillette. Elle a dit que le fait d'avoir à fabriquer le panneau pour les canards n'était pas une excuse pour ne pas faire mes devoirs. Tu te rends compte !

Lorette renifla la main de la fillette, attendant une friandise. Son long toupet en bataille lui cachait complètement les yeux.

– Comment peux-tu y voir quelque chose, avec tout ce crin ? demanda Éva, en repoussant doucement la crinière. Ensuite, j'ai essayé de m'expliquer, mais mademoiselle Fauvel m'a fait la morale devant toute la classe en me disant que les leçons devaient toujours passer avant tout le reste ! Et elle m'a donné des exercices à faire en plus des devoirs pour lundi !

Décidément, la vie est dure ! songea Éva, tandis que Lorette la regardait d'un air indifférent, occupée à mâcher du foin près de la mangeoire.

– Ah ! te voici ! lança mademoiselle Hugon au moment où Éva se penchait vers la ponette, le menton posé sur la porte du box. Ta mère m'a dit que je te trouverais ici.

Éva se retourna pour faire face à la vieille dame.

– Il s'est passé quelque chose ? demanda-t-elle, alarmée. Est-ce que Léon va bien ?

– Oui, répondit mademoiselle Hugon en souriant. Je viens justement te donner de ses nouvelles. Cet après-midi, je regardais par la fenêtre de ma chambre quand j'ai vu toute la famille de canards nager dans l'étang des Girard. Ils ont l'air bien installés.

– C'est génial ! dit Éva, en laissant échapper un soupir de soulagement.

C'était gentil à mademoiselle Hugon de s'être déplacée pour lui annoncer cette bonne nouvelle.

– J'aimerais bien venir voir Léon, si vous êtes d'accord.

Une nouvelle fois, la vieille dame sourit en hochant la tête.

– Bien sûr. Ta mère se doutait que tu me le demanderais, alors je lui ai dit que je garderais un œil sur toi pendant que tu serais près de l'étang.

– D'accord.

Lorsqu'elle traversa la cour avec mademoiselle Hugon, Éva eut l'impression d'être un bébé de deux ans avec sa nounou – mais, dans le fond, elle savait que la vieille dame pensait bien faire.

– On dirait que ton panneau est utile, remarqua celle-ci en voyant deux voitures ralentir.

– Génial, commenta Éva. C'était mon idée, au cas où les canards essaieraient de retourner à la rivière.

– C'est très prudent, approuva mademoiselle Hugon.

Elles dépassèrent le panneau et descendirent la rue où habitait la vieille dame, et où chaque maison possédait son petit jardin. Là, elles aperçurent Tigron, qui attendait patiemment, sur le seuil, le retour de sa maîtresse.

Alors qu'elles entraient dans son jardin, la vieille dame demanda à Éva d'un air hésitant :

– Dis-moi, est-ce que ta mère va bien ?

La question surprit Éva, qui répondit :

– Oui, très bien, merci…

– Je l'ai trouvée un peu pâle, et elle avait l'air moins gai que d'habitude, poursuivit mademoiselle Hugon.

– Elle a beaucoup de travail, en ce moment, reconnut Éva, tout en balayant du regard les environs pour tenter d'apercevoir Léon et sa famille. Et elle ne dort pas beaucoup. La nuit dernière, une dame l'a appelée à minuit pour lui dire qu'elle venait juste de rentrer de vacances et avait entendu un animal gémir et grogner dans son garage. Comme elle avait trop peur d'ouvrir la porte, Maman a dû se lever et aller voir… C'était un chien errant, qui n'arrivait plus à sortir. Il était presque mort de faim. Maman l'a ramené à la Clinique.

– J'admire beaucoup ta mère, dit mademoiselle Hugon, mais es-tu bien sûre qu'elle n'a pas de soucis ?

Éva haussa les épaules.

– Non, mais, comme d'habitude, elle se demande comment elle va payer les factures, avoua-t-elle. C'est toujours comme ça, à la Clinique.

– Ta mère fait un travail remarquable…

La vieille dame hocha la tête et inspira profondément, comme si elle venait de prendre une grande décision, puis ajouta :

– J'imagine que tu as envie d'aller jusqu'à l'étang pour jeter un coup d'œil sur tes chers canetons. Attends une seconde, je vais chercher mes jumelles…

Éva enjamba la barrière et s'avança dans les hautes herbes, les yeux rivés au viseur.

– Tout est flou ! murmura-t-elle, avant de tourner un petit disque de métal qui lui permit d'améliorer la netteté.

Soudain, elle eut une vue en gros plan de l'étang bordé de roseaux avec, au milieu, un petit îlot de galets.

– Comme c'est joli ! s'exclama-t-elle, impressionnée.

Depuis le milieu du champ, elle voyait très distinctement trois oies du Canada perchées sur l'îlot et, près d'elles, une petite poule d'eau noire. Éva continua d'avancer, braquant ses jumelles dans toutes les directions afin d'observer d'autres animaux : un lapin qui gambadait dans le champ et dont la silhouette se découpait sur le ciel bleu, un pigeon gris et deux corbeaux noirs qui prenaient leur envol.

Voici ce que vivent les photographes animaliers ! songea-t-elle, en regardant de nouveau vers l'étang, où elle découvrit trois autres poules d'eau qui nageaient dans l'eau peu profonde, entre les roseaux. C'était passionnant !

Deux oies apparurent soudain dans son champ de vision, ce qui en faisait cinq en tout. Éva s'approcha encore, puis s'arrêta au bord de l'eau. À cette distance, elle voyait nettement les cous noirs et les ailes tachées de brun des oies. *Imagine que tu es en Afrique, et que tu observes des flamants roses! Ou en Inde, parmi les tigres!*

Elle fit un gros plan sur les poules d'eau.

C'est ça : plus tard, je tournerai des documentaires animaliers!

L'imagination d'Éva se mit à galoper, et ce n'est que lorsqu'elle aperçut le premier canard qu'elle revint à la réalité. Le mâle se dressait devant elle, avec son collier vert-bleu et son beau plumage brillant. *Parfait!* songea-t-elle, retenant son souffle.

Puis elle aperçut la femelle – moins élégante mais plus fière, elle levait la tête et suivait le mâle tandis qu'il s'éloignait de l'îlot.

Où donc sont leurs petits? se demandait Éva, les jumelles toujours pointées sur la mare, quand un caneton apparut. Tout guilleret, il exhibait son plumage jaune vif. Puis vint le second, un peu déplumé mais heureux. Le troisième prit son temps, mais finit par quitter son abri. La famille était presque au complet.

– Allez, Léon, murmura Éva, montre-toi !

Les jumelles à la main, elle attendit longtemps que son protégé apparaisse. Elle attendit, et attendit…

Chapitre 7

Vendredi 18

Léon a disparu ! Mademoiselle Hugon m'a prêté ses jumelles et j'ai attendu pendant une éternité près de l'étang. Il ne s'est pas montré.

L'ordinateur portable de la Clinique sur les genoux, Éva rédigeait son blog. Une fois ses phrases écrites noir sur blanc, la réalité la frappa de plein fouet.

– Tout va bien ? demanda sa mère en entrant dans sa chambre pour éteindre la lumière.

Les larmes aux yeux, Éva secoua la tête, et désigna son écran.

Hélène lut le blog, puis s'assit sur le lit de sa fille et dit doucement :

– Tu veux bien me raconter un peu ce qu'il s'est passé ?

– Léon s'est perdu, gémit Éva. Il devait se battre sans cesse pour rattraper ses frères et sœurs et maintenant, ils l'ont laissé tomber !

Hélène hocha la tête.

– C'est fréquent avec les plus petits canetons d'une couvée, rappela-t-elle. Ils sont moins forts et moins agiles que les autres.

– Mais comment ont-ils pu l'abandonner ? protesta Éva.

Puis elle raconta les tentatives maladroites de son protégé pour grimper la berge jusqu'au terrain de golf, la manière dont il agitait ses ailes sans parvenir à voler et luttait contre les hautes herbes qui l'empêchaient de voir les autres, devant lui.

– Il a dû se passer quelque chose de grave. Il a croisé un renard, comme tu l'as dit l'autre jour, ou une voiture, et ses parents n'ont même pas essayé de l'aider !

Une nouvelle fois, Hélène acquiesça.

– Cela paraît cruel, je le regrette, mais c'est ainsi, et il faut l'accepter.

Éva ne parvenait pas à chasser de son esprit l'image de Léon, fragile petite boule de plumes jaunes sautillant sur la berge et pataugeant dans la rivière…

– Eh bien, moi, je ne l'abandonnerai pas ! dit-elle d'un ton buté.

Sa mère passa son bras autour des épaules de sa fille et l'embrassa.

– Et qu'as-tu l'intention de faire ? demanda-t-elle.

Soudain, tout fut très clair pour Éva. Elle abaissa l'écran de l'ordinateur et se blottit sous sa couverture.

– Demain, c'est samedi, murmura-t-elle. Je vais me lever à l'aube et partir à la recherche de Léon !

Comme prévu, Éva fut debout très tôt. Elle s'habilla et enfila ses baskets, prête à partir à la recherche du caneton.

Ce n'est pas la peine de retourner à l'étang,
songea-t-elle, en se dirigeant vers la rivière sans
avoir pris son petit déjeuner. *J'y ai passé des
heures entières hier et Léon n'a donné aucun
signe de vie.*

Éva décida donc de fouiller les berges de la
rivière, à l'endroit où elle avait vu Léon pour
la première fois.

Elle déplaça des galets et écarta les grands
roseaux sans résultat. Puis elle franchit le pont
de pierre et commença à inspecter les buissons
qui bordaient le terrain de golf.

– Hé, toi, là-bas, qu'est-ce que tu fabriques ?
cria une voix.

Éva leva les yeux et découvrit un golfeur
furieux qui s'avançait vers elle.

– Tu n'as pas le droit d'entrer ici ! reprit
l'homme.

À contrecœur, Éva s'arrêta.

– Je cherche un caneton perdu, expliqua-t-elle.
Il s'appelle Léon, et il a été séparé de sa famille.

– Cela ne change rien au fait que tu te
trouves sur une propriété privée, insista

l'homme. Et en plus, tu m'obliges à interrompre ma partie !

Avec un soupir, Éva passa de nouveau le pont, et continua à fouiller les bords de la rivière.

– Où es-tu, Léon ? murmura-t-elle, en s'accroupissant pour regarder sous les branches basses d'un saule. Ne te cache pas, c'est moi, Éva, et je suis ton amie !

Mais pas un seul petit cri ne lui répondit. Le caneton perdu demeurait invisible.

Déçue, Éva rebroussa chemin, la tête basse et le moral à zéro. Il était presque 10 heures quand elle rentra chez elle. Comme le téléphone sonnait, elle courut pour décrocher.

C'était mademoiselle Hugon.

– C'est toi, Éva ?

Dès qu'elle entendit la voix de la vieille dame, la fillette sut qu'il s'était passé quelque chose de grave. Peut-être que Tigron était malade ?

– Tout va bien ? demanda-t-elle.

– Je crains que non, répondit la vieille dame. C'est Tigron…

– Il est blessé ? Vous voulez que j'aille chercher ma mère ?

– Non, attends, je vais regarder par la fenêtre… Oui, c'est bien ça. Tigron a pris un oiseau jaune en chasse dans mon jardin et je ne cours pas assez vite pour le rattraper !

– Est-ce que c'est un petit canard ? demanda Éva, le cœur battant à tout rompre.

– Je n'en suis pas certaine, reprit la vieille dame, le souffle court. Je ne vois pas bien. Attends… Tigron marche sur la pelouse, il guette quelque chose… Viens ici, vilain chat !

La voix de mademoiselle Hugon faiblit, puis elle reprit le combiné.

– Oui, c'est un canard, affirma-t-elle. Dépêche-toi, si tu veux sauver ton ami !

Chapitre 8

Mademoiselle Hugon attendait Éva au portail de son jardin.

– Je suis désolée, murmura-t-elle.

Le cœur d'Éva bondit dans sa poitrine. Elle arrivait trop tard. Tigron avait dévoré Léon !

– Je ne peux pas empêcher Tigron de chasser les oiseaux. C'est une sale manie, je sais, mais...

– Où est-il ? demanda Éva, redoutant ce qu'elle allait découvrir.

– Derrière la maison, tapi entre les rosiers. Mais je ne vois pas le caneton...

Éva hocha la tête. Il y avait encore de l'espoir. En courant, elle fit le tour du bâtiment et trouva le chat caché derrière les rosiers, les yeux braqués sur la large haie.

– Va-t'en ! cria Éva.

Tigron se retourna et jeta à Éva un regard furieux.

C'est alors que la fillette perçut un mouvement, et vit une petite tache jaune parmi les feuilles vertes.

– Arrête ! lança-t-elle, en se jetant sur le chat pour l'attraper.

Comme Tigron courait se réfugier sous la haie, Éva s'y engouffra à son tour, les épines piquant ses poignets nus. L'atterrissage fut rude, mais elle le sentit à peine.

– Je t'ai eu ! murmura-t-elle en attrapant Tigron, qui se débattait comme un beau diable.

– C'est très bien ! Bon chat ! s'écria mademoiselle Hugon en frappant dans ses mains.

Éva prit une profonde inspiration et tendit l'animal à sa maîtresse. Puis elle se remit à quatre pattes et disparut de nouveau.

– Léon ? Où es-tu allé te fourrer ? murmura-t-elle en écartant les branchages.

« Coin ! Coin ! Coin ! » Soudain, elle découvrit le caneton tapi dans l'ombre. Prisonnier des racines entremêlées, il était hors de portée.

– Ne t'inquiète pas, je ne te ferai pas de mal, promit-elle, en s'approchant pour le prendre dans ses mains en coupe.

Mais Léon ne comprenait pas. Terrorisé par le chat féroce, il ne voulait qu'une chose : fuir au plus vite. S'enfonçant sous les branchages, il disparut de nouveau.

– Reviens ! supplia Éva, tandis que mademoiselle Hugon faisait rentrer Tigron dans la maison. Tu es sauvé maintenant, et je vais te ramener auprès de ta famille !

Bientôt, il nagerait sur l'étang des Girard avec ses frères et sœurs, sous la protection de ses parents.

Doucement, Éva écarta les branchages. Ses poignets étaient en sang à cause des épines, et lui faisaient mal.

– Mais enfin, Éva, qu'est-ce que tu fais ?

En entendant la voix d'Annie, qui lui rappelait celle de sa mère lorsqu'elle était de mauvaise humeur, Éva s'interrompit un instant puis, sans répondre, continua sa recherche.

– Éva, je vois tes jambes et tes pieds, et je sais que tu es là ! insista Annie. Je t'ai vue courir jusqu'ici, alors je t'ai suivie pour voir ce que tu fabriquais.

– Tais-toi ! ordonna Éva à voix basse.

À chaque seconde, ses chances de sauver Léon diminuaient. Il demeurait invisible, et elle commençait à craindre qu'il ait disparu pour de bon.

– Mais enfin, dis-moi ce qui se passe ! reprit Annie. Sors de là, je veux savoir !

À sa manière, son amie était aussi têtue qu'elle, songea Éva.

Mademoiselle Hugon sortit alors de sa maison et expliqua :

– Tigron était en train de chasser le caneton abandonné, et nous avons échappé de peu à la catastrophe.

– Chut! fit de nouveau Éva, qui craignait que le bruit n'effraie Léon.

Baissant la voix, mademoiselle Hugon dit à Annie :

– J'ai apporté les jumelles, au cas où… Reste ici, pendant que je rentre dans la maison pour surveiller Tigron. Il n'aime pas être enfermé et essaye toujours de s'échapper.

– D'accord, acquiesça Annie, avant de chuchoter à Éva : Alors, tu le vois ?

– Non, mais il était là il y a un instant, soupira-t-elle.

Ses bras lui faisaient vraiment mal, et ses cheveux étaient pris dans les branches.

– Aïe… Il faut que je sorte de là…

Elle s'extirpa des buissons, toute débraillée. Tandis qu'elle ôtait les feuilles accrochées à son pull, elle remarqua qu'Annie se lissait doucement les cheveux et époussetait son T-shirt impeccablement blanc.

– Il était là, mais je crois que je l'ai perdu ! gémit-elle.

Annie lui tendit les jumelles.

– Laisse-moi jeter un œil, proposa-t-elle avant de plonger dans la haie de rosiers.

Elle scruta du regard le buisson, puis ressortit, les cheveux en bataille et le T-shirt taché.

– Rien ! confirma-t-elle.

Éva haussa les sourcils. Maintenant, elles étaient toutes les deux en piteux état !

Annie soupira et s'essuya les mains sur son T-shirt, puis elle vit mademoiselle Hugon frapper à la fenêtre, Tigron sous le bras.

– Venez vite ! articula la vieille dame.

Les deux fillettes se précipitèrent vers l'arrière de la maison.

– J'ai aperçu le caneton ! dit-elle, tout excitée. Sur le trottoir, devant chez les voisins ! Une fois Tigron parti, il a dû se faufiler par le jardin. Il se dirige vers la rue principale…

Sans réfléchir, Éva courut dans la direction indiquée.

– Léon ! cria-t-elle en remontant la rue, espérant et redoutant à la fois de voir le caneton parti en promenade.

Tant de dangers inconnus l'attendaient dans le vaste monde !

Arrivée à la grande route, elle s'arrêta devant le panneau « Ralentir – Traversée de canards ».

Annie courut la rejoindre.

– Je ne vois rien ! souffla-t-elle, en regardant des deux côtés et en priant pour qu'aucune voiture n'arrive.

Un tracteur passa, un peu plus loin, puis les deux fillettes aperçurent Nicolas Salmon, qui promenait Mogul.

– Bonjour, Nicolas, tu n'aurais pas croisé un caneton ? demanda Éva.

Le promeneur réfléchit quelques instants avant de répondre.

– Je n'ai pas fait très attention, mais maintenant que tu m'en parles, c'est bien possible…

Les deux amies se précipitèrent à la rencontre de Nicolas.

– Que s'est-il passé ? demanda Annie.

– J'ai dû rappeler Mogul, expliqua-t-il. Il voulait à tout prix s'engager sur le chemin qui passe derrière ta maison, Éva, et j'ai eu bien du mal à le retenir. Heureusement qu'il était en laisse !

Éva se pencha vers le terrier et le caressa.

– Et ensuite ? interrogea-t-elle.

– Je me suis demandé ce qui l'intéressait tant et je suis allé jeter un œil. Je n'ai rien vu, mais il s'agissait sûrement d'un petit animal ou d'un oiseau. Peut-être même que c'était votre caneton…

– Très bien, merci, Nicolas, coupa Éva, décidée à suivre cette piste. Viens, Annie !

– Tu crois ce que je crois ? demanda Annie, hors d'haleine, en courant sur le chemin.

Éva hocha la tête.

– Léon essaie de retourner à la rivière pour retrouver ses parents, c'est sûr !

– Pauvre petit ! souffla Annie, en fixant les hautes herbes, impuissante. On pourrait ralentir un peu et le chercher par ici, tu ne crois pas ?

– Va voir par là, si tu veux. Moi, je file à la rivière.

Éva repartit, les jumelles à la main, et courut jusqu'à la rive en jetant de fréquents coups d'œil autour d'elle pour tenter d'apercevoir le caneton. *Il y a tellement d'endroits où se cacher !* songea-t-elle, dépassée par l'ampleur de la tâche. *Léon est si petit, et la campagne si grande !*

Elle s'arrêta sur la berge et regarda dans les jumelles. Très vite, elle aperçut des fleurs sauvages roses sur le talus et une petite plage de galets. Elle observa longuement l'endroit, puis elle entendit Annie s'approcher d'elle et lui demander :

– Alors ?

– Rien pour l'instant. Et toi ?

– Même chose. Le chemin est assez long. Tu crois que Léon est capable de parcourir cette distance ?

Éva acquiesça.

– Il l'a déjà fait une fois.

– Mais pas tout seul.

– Je sais. Attends…

Avec ses jumelles, elle distingua, sur l'autre rive, un couple de canards qui entrait dans l'eau.

– Regarde, là-bas! souffla-t-elle à Annie. Tu crois que ce sont les parents de Léon, qui reviennent chercher leur petit à leur ancien domicile?

Les canards gagnèrent rapidement le milieu de la rivière.

Non! ils ne laisseraient pas leurs autres petits tous seuls, se dit Éva, en observant dans ses jumelles les plumes brillantes du mâle, son bec jaune vif et ses yeux méchants.

– Regarde! lança Annie, les petits!

Les deux amies les comptèrent, retenant leur souffle : un, deux, trois, quatre… cinq.

Les canetons rejoignirent rapidement leurs parents et bientôt, toute la famille barbotait joyeusement dans l'eau frissonnante.

– Ce sont les canards qui ont chassé Léon et ses parents! murmura Éva.

Elle abaissa ses jumelles et les tendit à Annie.

Celle-ci mit un moment avant de s'y habituer, et n'aperçut tout d'abord qu'un morceau de ciel bleu et un peu d'herbe. Puis elle réussit à faire la mise au point et s'exclama :

– C'est génial, je vois tout !

Mais Éva ne l'écoutait pas. Elle était descendue jusqu'à la petite plage de galets et regardait autour d'elle, prête à abandonner, quand soudain, elle entendit un petit bruit.

– Oh ! fit-elle.

Annie se retourna vivement.

– Qu'est-ce qui se passe ? demanda-t-elle.

– Ne bouge pas, tu vas lui faire peur ! souffla Éva.

Elle n'avait pas voulu le croire, au premier regard, mais maintenant elle en était certaine : un petit animal jaune émergeait des hautes herbes, s'avançait sur les galets, et se mit à sautiller en direction de l'eau.

Annie s'arrêta pout le regarder.

– Léon ! murmura Éva, reprenant espoir. Tu es incroyable. Tu as réussi à regagner la rivière tout seul. Bravo !

Chapitre 9

Léon avançait vers la rivière, battant maladroitement des ailes. Éva et Annie le regardaient sans rien dire.

– Qu'est-ce qu'on fait ? souffla Annie.

– Je ne sais pas, je ne parle pas le langage canard…, plaisanta Éva.

Comment expliquer à Léon qu'elles étaient ses amies et ne cherchaient qu'à l'aider ?

– Mais si on bouge, il prendra peur, reprit Éva à voix basse.

– Il doit se sentir bien seul, dit doucement Annie. Regarde, il cherche à rejoindre les autres !

– Mais ils ne voudront pas de lui, assura Éva. Il ne fait pas partie de leur couvée, et ma mère m'a expliqué que les canards défendaient toujours leur territoire.

En effet, tandis que Léon s'avançait courageusement dans le courant, la cane l'aperçut et poussa un cri d'alerte. Le père commença à tourner autour des petits pour les rassembler.

– Reviens, Léon ! supplia Annie.

Mais le petit caneton poursuivit sa route.

« Coin ! Coin ! » Les cris de la cane se firent plus pressants. Elle nagea vers Léon, qui luttait toujours contre le courant. Puis elle s'arrêta et se dressa sur l'eau en jetant des regards prudents autour d'elle.

« Couac ! Couac ! » Le petit Léon se dirigea droit vers la cane, dans l'espoir qu'elle le prenne sous son aile. Mais celle-ci, furieuse, le chassa d'un violent coup de bec.

– Comme c'est cruel ! s'écria Annie.

– Léon, reviens…, murmura Éva.

Mais Léon n'abandonna pas – une nouvelle fois, puis une autre fois encore il s'approcha de la femelle, qui le repoussa.

– C'est affreux ! murmura Éva. On aurait pu croire qu'une mère aurait pitié de lui !

– Je trouve ça tellement triste…, répondit Annie.

– Qu'est-ce qui est triste ? interrompit Éric, qui promenait Palto, le labrador, le long de la rivière. Qu'est-ce que vous faites là, toutes les deux ?

– C'est Léon ! dit Éva, en pointant du doigt la cane qui, au milieu de la rivière, continuait à rejeter le caneton. Il veut à tout prix être adopté par l'autre famille de canards, mais celle-ci le chasse. Regarde, maintenant c'est le mâle qui s'en mêle !

– Ce n'est pas bon signe, marmonna Éric d'un air inquiet. Vous savez quoi ? Je vais lâcher Palto !

Sans attendre que les deux filles donnent leur avis, il ramassa un morceau de bois et le lança dans la rivière.

– Va chercher ! ordonna-t-il au labrador.

Le chien plongea dans l'eau et nagea de toutes ses forces pour attraper le bâton. Dès que les canards l'aperçurent, ils firent demi-tour en poussant des cris affolés.

– Palto, ne fais pas de mal à Léon ! cria Éva.

Léon était bloqué au milieu de la rivière. Il battait bravement des pattes, mais n'avançait pas. Pendant ce temps, les autres canards filaient sur l'autre rive.

– C'est bien, Palto ! dit Éric. Regardez, ils s'enfuient !

– Ça suffit ! s'écria Annie. Appelle Palto avant qu'il attrape le caneton.

Éric hocha la tête et cria :

– Palto, au pied !

Très obéissant, le labrador nagea jusqu'à la rive, tandis que Léon semblait finalement abandonner la bataille et se laissait porter par le courant.

À cet instant, un autre canard apparut. Il volait très bas au-dessus de l'eau et passa sous le vieux pont de pierre.

– Regardez ! dit Éva.

Elle emprunta les jumelles à Annie et tenta de zoomer sur l'animal, mais celui-ci avait disparu. Que se passait-il ?

– Allons voir par là, décida Éric. Peut-être que Léon réussira à regagner le coude de la rivière et, là, nous pourrons le sauver.

Il partit avec son chien encore mouillé, et les deux fillettes le suivirent.

– J'ai de la peine pour Léon, murmura Annie. J'ai la terrible impression qu'il ne va pas s'en sortir.

– Ne dis pas ça ! répliqua Éva.

Le cœur serré, elle courait sur la berge, sans quitter le caneton des yeux. Elle le vit arriver à sa hauteur, puis nager contre le courant et s'approcher d'elle et d'Annie.

– Comme il est courageux ! observa Éva.

Une nouvelle fois, le canard adulte effleura la surface de l'eau, puis disparut sous le pont de pierre en criant pour attirer l'attention de Léon, qui leva les yeux et se mit à crier lui aussi.

La cane passa devant eux et, d'un puissant coup d'ailes, fit demi-tour pour rejoindre le caneton.

Celui-ci marcha en direction des galets où l'attendaient Éva et Annie, qui retenaient leur souffle. Éric, sur le pont, observait, les doigts croisés.

Splash !!! La cane atterrit dans l'eau, éclaboussant tout autour d'elle. Elle se dirigea droit vers Léon et le poussa vers la rive en battant des ailes comme pour dire : «Tu es là, petit coquin ! Je t'avais pourtant bien dit de rester près de moi ! »

– C'est la mère de Léon ! s'écria Annie, ravie. Elle est revenue chercher son petit !

Sur le pont, Éric hocha la tête en souriant. Trop émue pour prononcer un seul mot, Éva gardait les yeux fixés sur Léon et sa mère.

Chapitre 10

Samedi 19

Vous savez quoi ? La mère de Léon l'a fait grimper sur la berge et ensuite, ils ont remonté la rue ! Comme de petits soldats en marche, droite, gauche, droite, gauche, cette femelle très autoritaire et son minuscule caneton se sont frayé un chemin entre les buissons. Nous les avons suivis, mais ils ne nous ont même pas remarqués. Ils sont passés derrière la Clinique et ont continué sur la rue principale, après le panneau « TRAVERSÉE DE CANARDS » ! Mademoiselle Hugon n'en revenait pas. Elle est restée à sa fenêtre pendant tout ce temps, pour surveiller Tigron.

Mais Léon et sa mère ne se sont pas arrêtés. Ils ont traversé le jardin et sont passés sous la clôture, avant d'entrer dans le pré. Là, on ne voyait plus que la tête de la cane qui dépassait. Nous avons gardé nos distances pour ne pas les effrayer.

Le plus intéressant, c'est quand ils sont arrivés près de l'étang. Dès qu'il les a aperçus, le mâle s'est dandiné à travers les roseaux, suivi des autres canetons qui se sont tous précipités vers Léon pour lui souhaiter la bienvenue. Tous ont failli l'écraser tellement ils étaient heureux. Ils lui ont fait fête en poussant des cris de joie. Annie a pleuré un peu, et moi j'ai failli. Même Éric était ému.

La main douloureuse, Éva cessa de taper sur son clavier. Par la fenêtre de sa chambre, elle vit Linda Bordes entrer dans la cour avec Annie et mademoiselle Hugon. Leurs ombres étaient longues dans la lumière du soir.

Soudain, Mickey poussa un braiement aigu, et Éva comprit qu'il se passait quelque chose. Elle abandonna son journal et se précipita en bas.

– Éva, mademoiselle Hugon aimerait parler à ta mère, dit Annie. Où est-elle?

– À l'écurie, avec Papa et Éric.

– Et j'aimerais bien aussi jeter un œil à ta petite ponette shetland, ajouta Linda. Annie m'a dit qu'elle était adorable.

– Bien sûr, venez! proposa Éva en leur ouvrant le chemin.

Dans l'écurie, ils trouvèrent Éric occupé à nettoyer le box de Mickey, tandis qu'Hélène et Marc soignaient les sabots de Lorette. L'un tenait une grosse paire de pinces, et l'autre grattait avec un cure-pied. Pendant ce temps, Lorette mâchonnait du foin d'un air satisfait.

Hélène fut la première à lever la tête pour saluer les visiteurs.

– Bonjour, Linda, bonjour, mademoiselle Hugon, quelle bonne surprise!

La vieille dame fit un grand sourire.

– J'imagine que vous avez entendu parler de la scène qui s'est déroulée près de l'étang?

– Oh, oui! Éva n'arrête pas de nous la rabâcher! lança Éric en reposant le sabot de Lorette.

– Elle a été merveilleuse! souligna la vieille dame. Et Annie et Éric aussi. Comme vous, Hélène, et comme Marc, bien sûr...

Linda rougit.

– Quel adorable petite ponette! lança Linda pour changer de sujet.

« Hi han! » fit Mickey, mécontent d'avoir été oublié.

– Toi aussi, tu es beau, ajouta mademoiselle Hugon.

Un silence s'installa, seulement interrompu par le grattement de l'outil d'Hélène sur le sabot de Lorette. Puis la vieille dame glissa la main dans la poche de sa veste et se tourna vers Hélène.

– J'ai quelque chose pour vous, dit-elle d'un air timide en lui tendant une feuille de papier.

– Mais... c'est un chèque! s'exclama Hélène.

Éva et Éric échangèrent un regard interrogateur.

– Un chèque d'un montant impressionnant, souffla Hélène. À l'ordre de la Clinique pour animaux en détresse!

– Il est pour vous, et pour soutenir votre admirable travail, insista mademoiselle Hugon.

Marc prit le chèque des mains de sa femme et secoua la tête d'un air ébahi.

– Cela va nous permettre de payer nos factures et de continuer à travailler sans nous soucier d'argent pendant longtemps, dit-il.

Éva, Éric et Annie se tournèrent vers mademoiselle Hugon.

– Vous êtes sûre ? demanda Hélène, en faisant mine de lui rendre son chèque.

Bien sûr que oui ! songea Éva, rapide comme l'éclair.

La vieille dame repoussa le chèque.

– La vente du manoir m'a rapporté plus d'argent que je ne pourrai jamais en dépenser, affirma-t-elle. Je suis très heureuse de vous faire ce don.

– Prenez-le ! encouragea Linda.

Ce fut décidé : à la Clinique pour animaux en détresse, on allait continuer à trouver un foyer pour chacun des pensionnaires !

– Encore une bonne nouvelle à fêter, s'écria Marc. Ce soir, pizza géante pour tout le monde et chocolat à volonté !

« Hi han ! » approuva Mickey.

Tous éclatèrent de rire quand Lorette, derrière Marc, lui arrosa copieusement le mollet.

– Comme elle est mignonne ! murmura Linda, qui adorait les chevaux.

Elle sortit un bonbon de sa poche pour l'offrir à la ponette, puis reprit d'un air songeur :

– Je me demande s'il n'y aurait pas encore une petite place dans mon pré pour une adorable ponette shetland…